COLEÇÃO
VERSO NA PROSA
PROSA NO VERSO

A senha do mundo

4ª TIRAGEM

EDITORA RECORD
RIO DE JANEIRO • SÃO PAULO
1999

CIP-Brasil. Catalogação-na-fonte
Sindicato Nacional dos Editores de Livros, RJ.

	Andrade, Carlos Drummond de, 1902-1987
A566s 1ª ed.	A senha do mundo / Carlos Drummond de Andrade. – 4ª tiragem – Rio de Janeiro: Record, 1999. (Verso na prosa, prosa no verso; 3)
	Contém dados biográficos ISBN 85-01-04857-7
	1. Literatura infanto-juvenil. 2. Poesia brasileira. I. Título. II. Série.
96-1893	CDD – 028.5 CDU – 087.5

http://www.carlosdrummond.com.br

As ilustrações incluídas nesta obra foram publicadas nos periódicos ingleses *Chatterbox* (1884-99) e *British Workwoman* (1874).

EDITORA AFILIADA

Direitos exclusivos desta edição reservados pela
DISTRIBUIDORA RECORD DE SERVIÇOS DE IMPRENSA S.A.
Rua Argentina 171 – 20921-380 Rio de Janeiro, RJ – Tel.: 585-2000

Impresso no Brasil

ISBN 85-01-04857-7

PEDIDOS PELO REEMBOLSO POSTAL
Caixa Postal 23.052 – Rio de Janeiro, RJ – 20922-970

sumário

COMPRIDAS HISTÓRIAS QUE NÃO ACABAM MAIS

MULINHA

A mulinha carregada de latões
vem cedo para a cidade
vagamente assistida pelo leiteiro.
Pára à porta dos fregueses
sem necessidade de palavra
ou de chicote.
Aos pobres serve de relógio.
Só não entrega ela mesma a cada um o seu litro de leite
para não desmoralizar o leiteiro.

Sua cor é sem cor.
Seu andar, o andar de todas as mulas de Minas.
Não tem idade — vem de sempre e de antes —
nem nome: é a mulinha do leite.
É o leite, cumprindo ordem do pasto.

Primeiro automóvel

Que coisa-bicho
que estranheza preto-lustrosa
evém-vindo pelo barro afora?

É o automóvel de Chico Osório
é o anúncio da nova aurora
é o primeiro carro, o Ford primeiro
é a sentença do fim do cavalo
do fim da tropa, do fim da roda
do carro de boi.

Lá vem puxado por junta de bois.

Infância

A Abgar Renault

Meu pai montava a cavalo, ia para o campo.
Minha mãe ficava sentada cosendo.
Meu irmão pequeno dormia.
Eu sozinho menino entre mangueiras
lia a história de Robinson Crusoé.
Comprida história que não acaba mais.

No meio-dia branco de luz uma voz que aprendeu
a ninar nos longes da senzala — e nunca se esqueceu
chamava para o café.
Café preto que nem a preta velha
café gostoso
café bom.

Minha mãe ficava sentada cosendo
olhando para mim:
— Psiu... Não acorde o menino.
Para o berço onde pousou um mosquito.
E dava um suspiro... que fundo!

Lá longe meu pai campeava
no mato sem fim da fazenda.

E eu não sabia que minha história
era mais bonita que a de Robinson Crusoé.

LAGOA

Eu não vi o mar.
Não sei se o mar é bonito,
não sei se ele é bravo.
O mar não me importa.

Eu vi a lagoa.
A lagoa, sim.
A lagoa é grande
e calma também.

Na chuva de cores
da tarde que explode
a lagoa brilha
a lagoa se pinta
de todas as cores.
Eu não vi o mar.
Eu vi a lagoa...

Cortesia

Mil novecentos e pouco.
Se passava alguém na rua
sem lhe tirar o chapéu
Seu Inacinho lá do alto
de suas cãs e fenestra
murmurava desolado
— Este mundo está perdido!

Agora que ninguém porta
nem lembrança de chapéu
e nada mais tem sentido,
que sorte Seu Inacinho
já ter ido para o céu.

MUNDO ESTREITO

VIGILANT

Marinheiro

A roupa de marinheiro
[sem navio.
Roupa de fazer visita
sem direito de falar.
Roupa-missa de domingo,
convém não amarrotar.
Roupa que impede brinquedo
e não se pode sujar.
Marinheiro mais sem leme,
se ele nunca viu o mar
[salvo em livro,
e vai navegando em seco
por essa via rochosa
com desejo de encontrar
quem inventou merda moda
de costurar esta âncora
[no braço
e pendurar esta fita
[no gorro.
Ah, se o pudesse pegar!

Banho de bacia

No meio do quarto a piscina móvel
tem o tamanho do corpo sentado.
Água tá pelando! mas quem ouve o grito
deste menino condenado ao banho?
Grite à vontade.

Se não toma banho não vai passear.
E quem toma banho em calda de inferno?
Mentira dele, água tá morninha,
só meia chaleira, o resto é da bica.

Arrisco um pé, outro pé depois.
Vapor vaporeja no quarto fechado
ou no meu protesto.
A água se abre à faca do corpo
e pula, se entorna em ondas domésticas.

Em posição de Buda me ensabôo,
resignado me contemplo.
O mundo é estreito. Uma prisão de água
envolve o ser, uma prisão redonda.
Então me faço prisioneiro livre.

Livre de estar preso. Que ninguém me solte
deste círculo de água, na distância
de tudo mais. O quarto. O banho. O só.
O morno. O ensaboado. O toda-vida.

Podem reclamar,
podem arrombar
a porta. Não me entrego
ao dia e seu dever.

REVOLTA

Não quero este pão — Quinquim atira
o pão no chão.

A mesa vira vidro, transparente
de emoção.
Quem ousa fazer isso em pleno almoço?
Pede castigo
o pão jogado ao chão.

O Castigador decreta:
Agora de joelhos você vai
apanhar este pão.
Vai trazer um barbante e amarrar
o pão no seu pescoço
e vai ficar o dia todo
de pão no peito, expiação.

Quinquim perdeu a força da revolta.
Apanha o pão, amarra o pão
no pescoço humilhado
e ostenta o dia todo
a condecoração.

ESPLENDOR E DECLÍNIO DA RAPADURA

Os meninos cariocas e paulistas
de alta prosopopéia
nunca tinham comido rapadura.
Provam com repugnância
o naco oferecido pelo mineiro.
Pedem mais.
Mais.
Ao acabar, há um pequeno tumulto.

Daí por diante todos encomendam
rapadura.
Fazem-se negócios em torno de rapadura.
Há furtos de rapadura.
Conflitos por causa de rapadura.

Até que o garoto de Botafogo parte um dente
da cristalina coleção que Deus lhe deu
e a rapadura é proscrita
como abominável invenção de mineiros.

Certas palavras

Certas palavras não podem ser ditas
em qualquer lugar e hora qualquer.
Estritamente reservadas
para companheiros de confiança,
devem ser sacralmente pronunciadas
em tom muito especial
lá onde a polícia dos adultos
não adivinha nem alcança.

Entretanto são palavras simples:
definem
partes do corpo, movimentos, atos
do viver que só os grandes se permitem
e a nós é defendido por sentença
dos séculos.

E tudo é proibido. Então, falamos.

BRINCAR NA RUA

Tarde?
O dia dura menos que um dia.
O corpo ainda não parou de brincar
e já estão chamando da janela:
É tarde.

Ouço sempre este som: é tarde, tarde.
A noite chega de manhã?
Só existe a noite e seu sereno?

O mundo não é mais, depois das cinco?
É tarde.
A sombra me proíbe.
Amanhã, mesma coisa.
Sempre tarde antes de ser tarde.

Os grandes

E falam de negócio.
De escrituras demandas hipotecas
de apólices federais
de vacas paridas
de éguas barganhadas
de café tipo 4 e tipo 7.

Incessantemente falam de negócio.
Contos contos contos de réis saem das bocas,
circulam pela sala em revoada,
forram as paredes, turvam o céu claro,
perturbando meu brinquedo de pedrinhas
que vale muito mais.

Mais do que um tesouro

O DOCE

A boca aberta para o doce
já prelibando a gostosura,
e o doce cai no chão de areia, droga!

Olha em redor. Os outros viram.
Logo aquele doce cobiçado
a semana inteira, e pago do seu bolso!
Irá deixá-lo ali, só porque os outros
estão presentes, vigilantes?

A mão se inclina, pega o doce, limpa-o
de toda areia e mácula do chão.
"Se fosse em casa eu não pegava não,
mas aqui no colégio, que mal faz?"

SUAS MÃOS

Aquele doce que ela faz
quem mais saberia fazê-lo?

Tentam. Insistem, caprichando.
Mandam vir o leite mais nobre.
Ovos de qualidade são os mesmos,
manteiga, a mesma,
iguais açúcar e canela.
É tudo igual. As mãos (as mães?)
são diferentes.

Poema culinário

Na croquete de galinha,
A cebola batidinha
Com duas folhas de louro
Vale mais do que um tesouro.
Também dois dentes de alho
Nunca serão espantalho.
(Ao contrário.) E três tomates,
Em vez de causar dislates,
Sem peles e sem sementes,
São ajudas pertinentes
Ao lado do sal, da salsa,
(A receita nunca é falsa)
Todos bóiam na manteiga
De natural doce e meiga.
E para maior deleite,
Um copo e meio de leite.
Ah, me esqueci: três ovos
Bem graúdos e bem novos
Junto à farinha de rosca
(Espante-se logo a mosca)
Mais a pitada de óleo,
Sem se manchar o linóleo,
E mais farinha de trigo...
Ai, meu Deus! deixa comigo.

Tabuleiro

Passa o tabuleiro de quitanda:
é pão de queijo é rosca é brevidade
é broa de fubá é bolo de feijão
é tudo que é gostoso e eu vou comprar
eu vou comer o dia inteiro a vida inteira
o sortimento deste tabuleiro.

Vem chegando perto. Alva toalha
cobre essas coisas todas que apetecem,
renda e bordado sobre a minha gula.
E como cheira a forno quente a branda
variedade de quitanda oculta!
Corro, suspendo o véu. Horror. Que dor.

Que vejo? Nada vejo. Fico
a olhar para o vazio descoberto.
Já sei. Antes de mim, Nhonhô Bilico
arrematou as amplas coleções
e vai comer o dia inteiro, a vida inteira
o sortimento deste tabuleiro.

Fruta furto

Atrás do grupo escolar ficam as jabuticabeiras.
Estudar, a gente estuda. Mas depois,
ei pessoal: furtar jabuticaba.

Jabuticaba chupa-se no pé.
O furto exaure-se no ato de furtar.
Consciência mais leve do que asa
ao descer,
volto de mãos vazias para casa.

A SENHA DO MUNDO

Distinção

O Pai se escreve sempre com P grande
em letras de respeito e de tremor
se é Pai da gente. E Mãe, com M grande.

O Pai é imenso. A Mãe, pouco menor.
Com ela, sim, me entendo bem melhor:
Mãe é muito mais fácil de enganar.

(Razão, eu sei, de mais aberto amor.)

Professor

O professor disserta
sobre ponto difícil do programa.
Um aluno dorme,
cansado das canseiras desta vida.
O professor vai sacudi-lo?
Vai repreendê-lo?
Não.
O professor baixa a voz
com medo de acordá-lo.

A PALAVRA MÁGICA

Certa palavra dorme na sombra
de um livro raro.
Como desencantá-la?
É a senha da vida
a senha do mundo.
Vou procurá-la.

Vou procurá-la a vida inteira
no mundo todo.
Se tarda o encontro, se não a encontro,
não desanimo,
procuro sempre.

Procuro sempre, e minha procura
ficará sendo
minha palavra.

Carlos Drummond de Andrade

Drummond nasceu em Itabira, uma pequena cidade de Minas Gerais. Era o ano de 1902, dia 31 de outubro. Seu pai chamava-se Carlos de Paula Andrade e sua mãe, Julieta Augusta Drummond de Andrade.

O pequeno Carlos logo descobre a sedução das palavras e aprende como usá-las. No Grupo Escolar Coronel José Batista, seu primeiro colégio, os textos do menino-escritor já começam a receber os primeiros elogios.

Bem jovem, Drummond vai trabalhar como caixeiro numa casa comercial. Seu patrão lhe oferece um corte de casemira, presente valioso para o rapazinho que precocemente participava das reuniões do Grêmio Dramático e Literário Artur de Azevedo. Lá, ele recebe os primeiros convites para realizar conferências — um menino de 13 anos fazendo palestras sobre arte, literatura!

Aos 14 anos, Drummond vai para um internato em Belo Horizonte. No colégio Arnaldo, ele não termina o segundo período escolar porque, adoentado, é obrigado a voltar para Itabira. Para não perder o ano escolar, Carlos começa a ter aulas particulares. Muitas descobertas.

Em 1918, já restabelecido, Drummond novamente é matriculado num colégio interno — o Anchieta, na cidade de Nova Friburgo, onde seu talento com a palavra vai ficando cada dia mais evidente. Seu irmão Altivo, percebendo que o jovem precisava ser incentivado, publica o poema em prosa "Onda" num jornalzinho de Itabira, *Maio*. É o início.

A vida no internato não foi fácil para o jovem adolescente. Aos 17 anos, Carlos Drummond de Andrade se desentende com seu professor de Português. Exatamente ele, o jovem que nos certames literários do colégio, por sua maestria, era chamado de "general". A conseqüência deste incidente é a expulsão do colégio ao término do ano escolar de 1919.

Durante os anos de internato, Drummond descobre que Itabira era sua *terra era livre* — seu *quarto, infinito.* Tristeza, saudades, solidão e rebeldia marcam este período.

E chega a hora negra de estudar. / Hora de viajar / rumo à sabedoria do colégio. / Além , muito além de mato e serra / fica o internato sem doçura.

(trecho da poesia "Fim da casa paterna")

Comportei-me mal, / perdi o domingo. / Posso saber tudo / das ciências todas, / dar quinau em aula, / espantar a sábios / professores mil: / comportei-me mal / não saio domingo.

(trecho da poesia "A norma e o domingo")

No ano de 1920, a família Drummond transfere-se para Belo Horizonte. A ida para a capital mineira abre novas portas para o adolescente. Seus primeiros trabalhos começam a ser publicados no *Diário de Minas*, na seção "Sociais", e ele se aproxima de escritores e políticos mineiros.

Dois anos depois, recebe um prêmio pelo conto "Joaquim do Telhado" e publica seus trabalhos no Rio de Janeiro. Em 1923, Drummond decide matricular-se na Escola de Odontologia e Farmácia de Belo Horizonte. O poeta, porém, jamais irá exercer a profissão de farmacêutico.

Ainda estudante, em 1925, Carlos Drummond se casa com Dolores Dutra de Morais e, formado, retorna a Itabira e leciona Geografia e Português no Ginásio Sul-Americano. No ano seguinte, recebe convite para trabalhar no jornal *Diário de Minas* como redator e decide retornar a Belo Horizonte.

Em 1928, publica em São Paulo um poema que se transforma num escândalo literário:

No meio do caminho tinha uma pedra
tinha uma pedra no meio do caminho
tinha uma pedra
no meio do caminho tinha uma pedra.
(trecho de "No meio do caminho")

Este ano de 1928 torna-se marcante para Drummond. Nasce sua filha Maria Julieta e o poeta vai trabalhar na Secretaria de Educação de Minas Gerais. Desta data em diante, Drummond ocupa vários cargos ligados às áreas de Educação e de Cultura dos governos de Minas e federal, trabalha nos principais jornais de Minas e do Rio de Janeiro e vai publicando suas poesias.

Em 1942, a Editora José Olympio edita *Poesias* e, durante 41 anos, até sua ida para a Editora Record em 1982, suas obras são publicadas com o selo da Editora JO. A fama chega e Drummond se torna um dos mais conhecidos autores brasileiros — seus textos são traduzidos e lidos em diferentes países.

No dia 5 de agosto de 1987 morre sua filha Julieta; 12 dias depois, a 17 de agosto, falece o poeta.

Há um melhor caminho para conhecer Drummond: a leitura de suas poesias, crônicas e contos.

Av. Papaiz, 581 - Jd. das Nações - Diadema / SP
Fone: (011) 7640-6199 Fax: Ramal 215
WWW.prolgrafica.com.br
prol@uol.com.br